'엄마, 또 읽어 주세요'는 아이들이 책 읽는 것을
좋아하게 만드는 책입니다,

글 신정민

1967년 경기도 안성에서 태어났습니다.
추계예술대학교에서 문예창작을 공부한 뒤
1998년 눈높이아동문학상, 1999년 아동문예문학상을 수상하였습니다.
그동안 지은 책으로는
〈툭〉〈로봇 콩〉〈소라게 엉금이〉〈안녕, 내 친구 오징어 외계인〉
〈뒤죽박죽 도마뱀 울퉁이네 집〉
〈선생님이 책을 구워 먹었대요〉〈작은 물고기의 꿈〉
〈물총새 이야기〉〈붕어가 된 붕어빵〉 등이 있으며,
어린이의 상상력을 키워 주는
재미난 동화를 쓰기 위해 노력하고 있습니다.

엄마, 또 읽어 주세요!

발행일 • 2004년 3월 10일 초판 1쇄
글 • 신정민
그림 • 박선경 이정은 정연주 최준규
김서진 이량덕 문정희 장혜경
경혜원 구명선 심성엽 송경화 김진화 김은주
마케팅 • 이희경
발행인 • 박형준
펴낸곳 • 도서출판 거인
주소 • 서울시 마포구 마포동 350 강변한신코아 428호
출판등록 • 제 10-2363호
전화 • (02)715-6857
팩스 • (02)715-6858

정가 • 11,000원
ISBN • 89-90332-16-8

책•읽•는•아•이•로•만•들•어•주•는•책

엄마, 또 읽어주세요!

글 신정민
그림 박선경 외 12명

도서출판
거인

차 례

세계명작 4편

전래동화 4편

이솝이야기 5편

아기돼지 삼형제

그림 장혜경

얘들아
사나운 늑대를
조심해라!

어느 날, 엄마돼지가 말했어요.
"얘들아, 너희도 이제 따로따로
집을 지어 사는 게 어떻겠니?"
"좋아요, 엄마."

아기돼지 삼형제는 입을 모아 대답했어요.
그리고 무엇으로 집을 지을까
곰곰이 궁리했지요.

첫째 돼지는 **쓱싹 쓱싹** 볏짚으로
집을 지었어요.

둘째 돼지는 **뚝딱뚝딱** 나무로
집을 지었고요,

셋째 돼지는 **끙끙끙끙**
벽돌로 집을 지었어요.

10

"야호, 내가 일등이다!"
첫째 돼지는 제일 먼저
집을 지었어요.

그 다음은 **둘째** 돼지예요.
"셋째야, 내 솜씨 어때?
어휴, 이런 바보.
아직도 집을 짓고 있잖아!"

"휴, 힘들다!"
셋째 돼지는 벽돌로
집을 짓느라
땀을 뻘뻘 흘렸지만
제일 튼튼한 집이
되었지요.

11

그런데 어느 날 늑대가 나타났어요.
첫째 돼지는 집에 꼭꼭 숨었어요.
"히히히, 지푸라기로 만든 집이군."
늑대가 바람을 '훅!' 불었더니,
첫째네 집은 풀풀 날아가 버리고 말았어요.

"히히히, 이번에는 나무로 만든 집이군."
늑대가 바람을 '훅훅!' 불었더니,
둘째네 집도 우지끈
무너져 버렸지요.

첫째랑 둘째는 셋째네 집으로 달아났어요.
셋째네 집은 아주 튼튼해서
바람을 '훅훅훅!' 불어도 소용없고,
쿵쿵 두들겨도 끄떡없었어요.
"옳지, 굴뚝으로 들어가야지."
늑대는 사다리를 타고 굴뚝으로 껑충껑충 올라갔어요.
"형님들, 가마솥에 불을 지피세요."
셋째 돼지는 장작을 가져다가 가마솥에 물을 펄펄 끓였어요.
허둥지둥 굴뚝으로 들어오던 늑대는 끓는 물 속에
그만 풍덩 빠지고 말았어요.

"아이고, 늑대 살려! 꽥!"

저 녀석중 반
우리가 이겼다
꿀꿀
꿀꿀

15

미운 오리 새끼

그림 경혜원

"꽥꽥꽥꽥."
오리 둥지에서 알들이 하나둘씩 깨어났어요.
그런데 제일 큰 알에서 제일 늦게 태어난 아기오리는
몸집도 훨씬 크고 못생겼지 뭐예요.

"에구머니, 이게 뭐야?"
"이건 칠면조 새끼가 틀림없어요."
이웃집 암탉도 와서 인상을 찌푸렸어요.
"저리 가! 너하고 놀기 싫어!"
아기오리들은 미운 아기오리를 콕콕 쪼아대고
물어뜯기 일쑤였어요.
그래서 할 수 없이 둥지를 떠나
길을 나서게 되었어요.

미운 아기오리는 가는 곳마다
놀림을 당했어요.
"히히히, 저렇게 못생긴 오리는 처음 봐."
"여기는 우리 연못이니까 저리 가!"
연못가의 새들은 미운 아기오리를
쫓아냈어요.
"아이 추워. 이제 겨울이 오려나 봐."
다행히도 아기오리는 마음씨 좋은
할머니를 만나서 따뜻하게
지낼 수 있었어요.

하지만 얼마 지나지 않아
미운 아기오리는 다시 쫓겨나야 했어요.
그곳에 함께 살던 닭과 고양이가
아기오리를 아주아주 미워했거든요.
"너 때문에 우리가
먹을 것도 모자라!"
그러면서 **부리**로 콕콕 쪼고,
발톱으로 할퀴었지요.

19

'어딘가에 나를 좋아하는 친구들이 있을 거야.'
미운 아기오리는 이렇게 생각하며 이리저리 헤매고 다녔어요.
하지만 아무도 미운 아기오리를 따뜻하게 대해 주지 않았어요.
그러던 어느 날 **사냥꾼**을 만났어요.
"어라? 이게 웬 털북숭이람?"
사냥꾼은 미운 아기오리를 보고 고개를 **갸우뚱**했어요.

"흥, 보아하니 오리 같은데,
이렇게 못생겨서야 어디 맛이 있겠나?
저리 가라, 저리 가!"
사냥꾼도 미운 아기오리를 쫓아 버렸어요.

어느덧 봄이 찾아왔어요.
미운 아기오리는 연못에서 아름다운 백조들을 보았어요.
'아, 내가 저렇게 멋지다면 얼마나 좋을까?'
그런데 이게 어찌된 일이죠?
백조들이 다가와 함께 놀자고 하는 거예요.
미운 오리는 날개를 파닥거려 보았어요.

'푸드득, 푸드득, 푸드드득!'
그제서야 미운 오리는
자기가 아름다운 백조였다는 걸
알게 되었답니다.

잭과 콩나무

그림 이량덕

잭과 엄마는 젖소를 키우면서 오순도순
살고 있었어요.
그런데 이젠 젖소에서 더 이상 젖이
나오지 않게 되었어요.

"애야, 이젠 이 젖소를 팔아야겠구나."
잭이 소를 몰고 시장으로 가는 길에
잭은 어떤 할아버지를 만났어요.
"애야, 그 소를 이 콩이랑
바꾸지 않을래?
이건 말이야, 아주아주 신기한
콩이란다."

잭이 콩을 가지고 집으로 돌아갔더니,
엄마는 크게 **꾸지람**을 했어요.
그러고는 잭이 가져온 콩을 창 밖에다
휙 던져 버렸지요.
다음날 아침에 일어나 보니
커다란 **콩나무**가 자라나 있었어요.
"와아, 저기 저 하늘 나라에는
누가 살고 있을까?"
잭이 콩나무를 오르고 또 올라서 가 보니
거기에는 커다란 성이 있었어요.

"아주머니, 너무너무 배가 고픈데
먹을 것 좀 주세요."
"그래, 어서 들어오렴."

그 때 밖에서
쿵쿵쿵 발자국 소리가 들려 왔어요.
"이크, 우리 남편이 오고 있구나.
우리 남편은 무서운 거인인데,
너를 보면 잡아먹으려 할 거야."
아주머니는 잭을 아궁이 속에 꼭꼭 숨겨 주었어요.

"냠냠냠, 쩝쩝쩝, 우물우물."

거인은 음식을 배불리 먹고는
번쩍번쩍 빛나는 황금 하프 소리를 들으며
쿨쿨 잠이 들었어요.
그 사이에 잭은 살금살금 나와서
커다란 하프를 가지고
달아났어요.

"네이놈! 거기 서지 못해?"

잠에서 깨어난 거인이 쫓아왔어요.
잭은 허둥지둥 콩나무 줄기를 타고 내려왔어요.
"흥, 그러면 내가 못 잡을 줄 알고?"
거인도 콩나무를 타고 쫓아 내려왔어요.
잭은 재빨리 먼저 내려와서
도끼로 **쿵쿵쿵** 나무를 찍었어요.

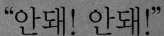

"안돼! 안돼!"

콩나무는 '우지끈 쿵!' 쓰러지고,
마음씨 나쁜 거인은
땅에 떨어져 죽어 버리고 말았어요.
이렇게 해서 잭과 엄마는 부자가 되고,
거인이 떨어진 자리에는
커다란 호수가 만들어졌답니다.

백설 공주

그림 문정희

옛날 어느 나라에
아름다운 백설 공주가 살았어요.
공주의 엄마는 일찍 세상을 떠나고,
새엄마가 오게 됐지요.
그런데 새왕비는 마음씨 나쁜 마녀였답니다.
"거울아, 거울아.
세상에서 누가 제일 예쁘니?"
"왕비님도 예쁘지만
백설 공주보다는 못 하지요."
화가 난 왕비는 백설 공주를
멀리 멀리 쫓아내 버렸어요.

숲 속의 일곱 난쟁이네 집으로 간
백설 공주는 **쿨쿨** 잠이 들었어요.
"오오, 불쌍한 백설 공주님.
저희들이 잘 보살펴 드릴게요."

왕비는 다시 거울을 보고 물었어요.
"거울아, 거울아. 이제는 세상에서 내가 제일 예쁘지?"
"백설 공주님이 아직도 살아 있으니,
왕비님은 두 번째랍니다."
왕비는 잔뜩 화가 나서 이를 꼭 깨물었어요.

35

왕비는 **사과장수** 할머니로 꾸미고서
백설 공주를 찾아갔어요.
그리고는 빨간 사과 한 알을
주었지요.
"어머나, 너무너무
먹음직스럽군요."

하지만 백설 공주는
사과를 한입
깨물자마자 정신을 잃고
말았어요.
왕비가 준 사과에는
독이 들어 있었거든요.

일곱 난쟁이는 백설 공주가 죽은 줄 알고 슬퍼했어요.
어느 날 이웃 나라 **왕자**가 찾아왔어요.
"오, 아름다운 공주님을 우리 성으로 모셔가도 될까요?"
난쟁이들은 백설 공주를 옮기다가 '덜컹!' 하고 놓칠 뻔했어요.
그 바람에 백설 공주의 목에 걸려 있던 사과가
툭 튀어나왔지요.

"와아, 공주님이 다시 살아나셨다!"
백설 공주는 멋진 왕자님과 함께
오래오래 행복하게 살았답니다.

혹부리 영감

그림 박선경

어느 날 마음씨 좋은 혹부리 영감이 나무를 하러
산에 올랐어요. 그런데 그만 날이 어두워져서
외딴 오두막집에서 묵어 가야 했지요.
깜깜한 밤이 되자 혹부리 영감은
무서운 생각이 들었어요.
그래서 흥얼흥얼 노래를 불렀지요.

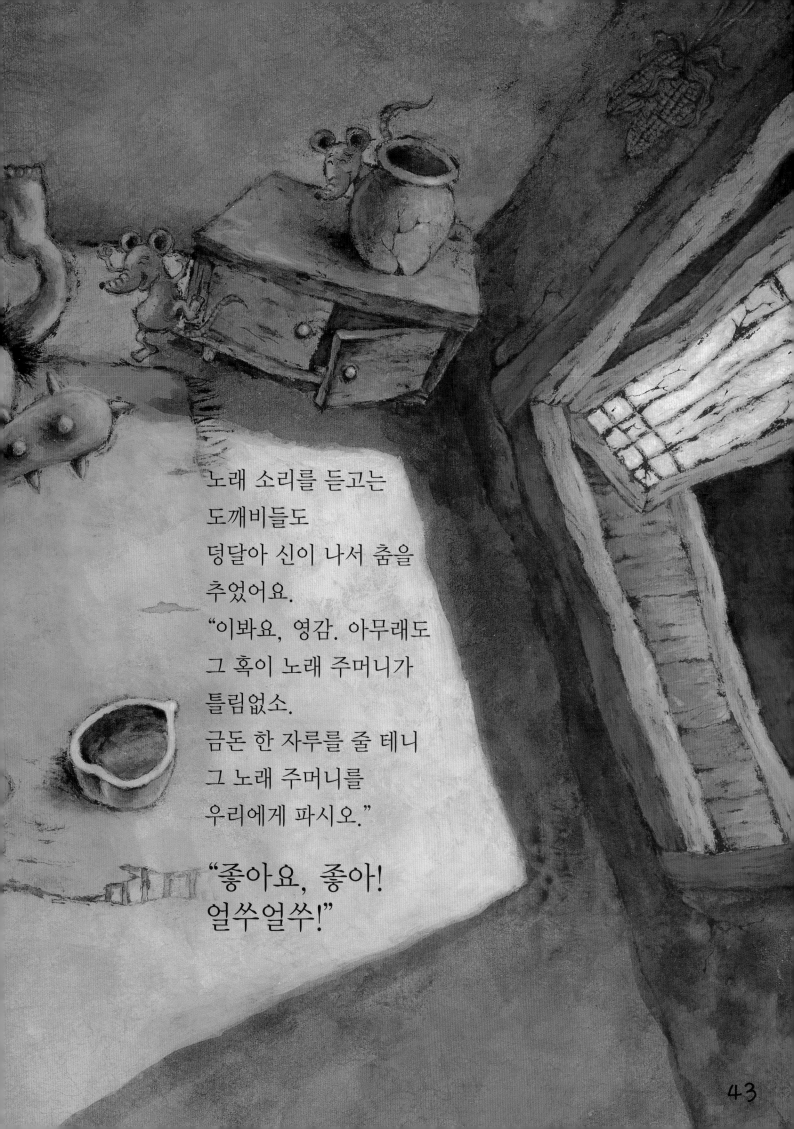

노래 소리를 듣고는
도깨비들도
덩달아 신이 나서 춤을
추었어요.
"이봐요, 영감. 아무래도
그 혹이 노래 주머니가
틀림없소.
금돈 한 자루를 줄 테니
그 노래 주머니를
우리에게 파시오."

"좋아요, 좋아!
얼쑤얼쑤!"

다음 날 혹부리 영감은
큰 부자가 되어 마을로 돌아갔어요.
마침 이웃 마을에도 심술쟁이
혹부리 영감이 살고 있었어요.

'옳거니!
나는 더 큰 부자가
되어야겠다.'
심술쟁이 영감은
도깨비들이 살고 있는
오두막을 찾아가서
노래를 불렀어요.
"도깨비들아, 나와라!
내 혹에는 더 많은
노래가 들어
있단다!"

하지만 도깨비들은 심술쟁이 영감을 **쿡쿡** 쥐어박았어요.
"흥! 우리가 또 속을 줄 알고?"
"자, 우리가 그 노래 주머니를 하나 더 달아 주지."
이렇게 해서 심술쟁이 영감은 양쪽 볼에 혹을 두 개나
주렁주렁 달고 다니게 되었답니다.

"아이고, 혹 떼러 갔다가
혹이 하나 더 붙었네.
엉엉엉."

금도끼 은도끼

그림 최준규

옛날 어느 마을에 마음씨 착하고 부지런한
나무꾼이 살았어요.
어느 날 높은 산으로 간 나무꾼은
아주 좋은 나무 한 그루를 찾았어요.
"자, 그럼 일을 시작해 볼까?"
'쿵 쿵 쿵!'
나무꾼은 나무를 하다가 그만
쇠도끼를 연못 속에 빠뜨리고 말았어요.
"아이고, 이를 어쩌나?"

나무꾼은 엉엉 울었어요.
그 때 연못 속에서 신령님이 나타났어요.
"어허, 어찌하여 그렇게 울고 있느냐?"
"아이고, 신령님. 제가 그만
도끼를 잃어 버리고 말았답니다.
도끼가 없으면 나무를 못 하고,
나무를 못 하면 어머님을
모실 수가 없어요."

신령님은 연못 속으로 들어갔다가
번쩍번쩍 금도끼를 들고 나타났어요.
"이것이 네 도끼냐?"
"아닙니다, 아닙니다."
신령님은 다시 은도끼를 가져왔어요.
"그럼, 이것이 네 도끼냐?"
"그것도 아닙니다.
제 도끼는 낡고 낡은
쇠도끼랍니다."

신령님은 **껄껄껄** 웃었어요.
"너는 참으로 정직한 나무꾼이로구나."
그러면서 신령님은 쇠도끼는 물론
금도끼와 은도끼까지
선물로 주었답니다.

나무꾼은 금도끼, 은도끼를 가지고 마을로 돌아갔어요.
다음 날, 이 소문이 동네방네 퍼졌어요.
이 이야기를 들은 건넛마을 욕심쟁이는 귀가 솔깃했어요.
'그렇다면 나도 신령님을 만나서 **금도끼, 은도끼**를
달라고 해야지.'
욕심쟁이는 낡은 쇠도끼를 구해서, 씩씩거리며
산으로 올라갔어요.
그리고는 연못가에 있는 나무를 찾아냈어요.
욕심쟁이는 몇 번 도끼질을 하다가 일부러 연못 속에
쇠도끼를 풍덩 빠뜨렸어요.
"아이고, 이를 어쩌나? 도끼가 없으면 나는 꼼짝없이
굶어죽고 말 거야.
엉엉엉."

53

그러자 신령님이 금도끼를 들고 나타났어요.
"이 도끼가 네 도끼냐?"
욕심쟁이는 눈이 휘둥그래졌어요.
"맞아요, 맞아. 그게 바로 제 도끼예요!"
신령님은 고개를 갸웃거리며 이번에는 은도끼를 가져왔어요.
"혹시 이것도 네 도끼가 맞느냐?"

"맞아요, 맞아. 그것도 제 도끼예요."
그 말을 듣고 신령님은 크게 호통을 쳤어요.
"네 이놈! 너는 순 거짓말쟁이로구나!"
신령님은 욕심쟁이에게 아무 것도 주지 않고,
그냥 물 속으로 사라져 버렸답니다.

소금이 나오는 맷돌

그림 이정은

옛날 옛날에 임금님이 요술 맷돌을 가지고 있었어요.
"쌀 나와라!" 하면 쌀이 나오고,
"금 나와라!" 하면 금이 끝도 없이 쏟아져
나왔지요.

그런데 어느 날, 궁궐에
도둑이 들었어요.
도둑은 다른 보물에는 손도 대지 않고,
맷돌만 훔쳐서 달아났어요.
'히히히, 이 맷돌을 가지고
바다 건너 멀리 가서 살아야지!'
도둑은 큰 부자가 될 생각에
벌써부터 신이 났어요.

바다 한 가운데로 나간
도둑은 시험삼아 맷돌을 돌려 보았어요.
"맷돌아, 소금을 만들어라!"
그러자 맷돌이 스륵스륵 돌면서
하얀 소금이 쏟아져 나오기 시작했어요.

"끼야호, 나는 이제 부자다!"
도둑은 신이 나서 소리쳤어요.
소금이 너무 많이 나와서
조금씩 배가 가라앉는 줄도 몰랐어요.
"어어, 이 맷돌을 어떻게 멈춘다지?"

마침내 배는 바닷속으로
꼬르륵 가라앉고 말았어요.

"아이고, 도둑 살려! 어푸어푸!"
바닷속에 들어간 맷돌은
쉬지 않고 소금을 만들고 있답니다.
그래서 바닷물이 지금처럼
짜게 되었다고 한답니다.

호랑이와 곶감

그림 정연주

옛날 옛날 깊은 산 속에
커다란 호랑이 한 마리가 살았어요.
"어흐흥, 뭣 좀 먹을 것이 없을까?"
그 때 마침 저 아래 초가집에서 아기 울음소리가 들려왔어요.
"오늘은 저 아기를 잡아먹어야겠다."
호랑이는 어슬렁어슬렁 마을로 내려갔어요.

"앙앙~앙, 앙앙~앙."
아기가 자꾸만 울자 할머니가 말했어요.
"요 밖에 호랑이가 왔단다!"
하지만 아기는 울음을 그치지 않았어요.
"옛다, 곶감이다!"
그랬더니 아기가 울음을 뚝 그쳤지요.

호랑이는 고개를 갸우뚱했어요.
'내가 온 걸 어떻게 알았지?
그리고 도대체 곶감이 뭐야?
나보다 더 무서운 놈인가?'
호랑이는 덜컥 겁이 났어요.

그 때 마침 그 집에 도둑이 찾아왔어요.
도둑은 깜깜한 마당에 있는 호랑이를 보고
송아지인 줄 알고 털썩 올라탔지요.
'으악! 이게 바로 곶감이라는 놈이구나!'
깜짝 놀란 호랑이는 펄떡펄떡 뛰어서 달아나기
시작했어요.

'으악, 이건 송아지가 아니라 호랑이였잖아!'
도둑도 깜짝 놀라서 꼬옥 매달렸어요.
손을 놓았다가는 호랑이한테
잡아먹힐지도 모르니까요.
'어이쿠,
이제 난 죽었구나!'

도둑은 정신을 바싹 차렸어요.
그러고는 호랑이가 나무 밑을 지날 때
재빨리 나뭇가지로 올라갔어요.
호랑이는 도둑이 없어진 것도 모르고 계속 달렸어요.

"아이고, 여흐흥! 호랑이 살려!"
호랑이는 발바닥에 불이 나도록 달리고
달리고 또 달려갔어요.
그 다음부터 호랑이는 곶감이 무서워서
마을에는 얼씬도 못 하게
되었답니다.

황소와 개구리

그림 심성엽

"개굴개굴, 개굴개굴."
연못가에서 아기개구리들이 신나게 놀고 있었어요.
꽃잎 위에서 다른 꽃잎 위로 **폴짝폴짝** 뛰기도 하고,
뽀글뽀글 물 속에서 헤엄도 쳤지요.
엄마개구리가 불룩한 배를 씰룩거리며
아기개구리들을 지켜 주고 있었어요.

그러던 어느 날, 아기개구리들은
덩치가 커다란 황소를 만났어요.
"얘들아, 안녕?"

"으악, 개구리 살려!"

황소는 반갑게 인사를 했는데,
아기개구리들은 깜짝 놀라서
이리저리 달아나느라 바빴지요.

"아니에요,
아직도 황소가 더 커요."

"아니에요,
아직도 황소가 더 커요."

76

"엄마 엄마, 황소가 우리를 잡아먹으려고 해요!"
그러자 엄마개구리가 말했어요.
"애들아, 걱정하지 말아라. 엄마는 저 황소보다 더 크단다."
엄마개구리는 배를 크게 부풀렸어요.
"아니에요, 아니에요. 황소는 그것보다 훨씬 더 커요."
엄마개구리는 한껏 숨을 들이마셨어요.
"아니에요, 아직도 황소가 더 커요."

"아니에요,
아직도 황소가
더 커요."

엄마개구리는 자꾸자꾸
숨을 들이마셔서
배가 아주 커지고 커지고,
또 커졌어요.
"이래도 저 황소가 나보다 더 크단 말이야?"
그러다가 그만 엄마개구리는 배가 '뻥!'
터지고 말았답니다.

늑대와 목동

그림 구명선

옛날 어느 마을에
양치기 소년이 살았어요.
양치기 소년은 매일 양떼를 몰고
산꼭대기로 갔어요.
그곳에서 양들에게 풀을 먹게 했지요.
그 동안에 양치기 소년은
너무너무 심심했어요.
'무슨 재미난 일이 없을까?'
양치기 소년은 곰곰이 생각하다
큰 소리로 외쳤어요.

"늑대다! 늑대가 나타났다!"

"뭐라고? 늑대가 나타났다고?"
마을 사람들은 깜짝 놀라서 달려왔어요.
"하하하! 아이고, 재미있다.
거짓말이에요, 거짓말."

"이런 못된 녀석 같으니!"
마을 사람들은 투덜거리며
집으로 돌아갔지요.

하하하!
거짓말
이예요.

다음날에도 양치기 소년은
똑같은 장난을 했어요.
두 번씩이나 속아 넘어간
마을 사람들은 단단히 화가 났지요.
그런데 이번엔 정말로
늑대가 나타났어요.

"늑대다! 늑대가
나타났다!"

늑대다!
늑대가 나타났다!

양치기 소년이 목이 터져라
소리쳤어요.
하지만 마을 사람들은
소년의 말을 믿지 않았어요.
"흥! 저 녀석이 또
거짓말을 하는군!"

그리고 **콧방귀**만
뀔 뿐이었어요.

마을 사람들은 소년의 고함소리에도
불구하고 꼼짝하지 않았어요.

"또 거짓말이겠지!"

이렇게 해서 배고픈 늑대만 신이 나서
실컷 배를 채웠고,
양치기 소년은 자기 양들을
모두 잃고 말았답니다.

 # 개미와 베짱이

그림 송경화

햇빛이 **쨍쨍** 쬐는 여름날,
개미들이 열심히 일을 하고 있었어요.
하지만 베짱이는 풀잎 위에 앉아
노래만 부르고 있었지요.

"룰루랄라, 이렇게 더울 때에는
편하게 놀고 먹는 게 최고야!"

한참 동안 노래를 부르다 보니
슬슬 졸음이 왔어요.
베짱이는 그늘 속에 들어가서
쿨쿨 낮잠을 잤어요.

그 사이에도 개미들은 땀을 **뻘뻘** 흘리며
쉬지 않고 일을 했지요.
"바보 같은 개미들아,
뭐하러 그렇게 힘들게 일을 하는 거니?"
베짱이가 묻자 개미가 대답했어요.

"겨울에 먹을 음식을
미리 미리 준비해 둬야죠."

어느덧 여름이 지나고, 가을도 지나고,
흰 눈이 펄펄 내리는 겨울이 되었어요.

"아이고, 추워. 아이고, 배고파."
하지만 아무리 돌아다녀도
베짱이는 먹을 것을 찾을 수 없었어요.

베짱이는 너무나 배가 고파서
개미네 집을 찾아갔어요.
"개미야, 개미야.
나 좀 도와 주렴."

"어서 오세요, 베짱이님."
개미는 베짱이를 친절하게 맞아 주었어요.
그리고 따뜻한 차와 음식도
나누어 주었지요.

"고맙다, 개미야. 너희들이 여름에
왜 그렇게 열심히 일했는지 이제야 알겠어."
베짱이는 눈물을 찔끔 찔끔 흘렸답니다.

사자와 생쥐

그림 김진화

숲 속 마을에서 생쥐가
신나게 노래를 부르고 있었어요.
"이야호, 신난다!
나는 숲 속의 꾀돌이.
아무 것도 무서울 것이 없다네."

생쥐는 마냥 신이 났어요.
"찍찍찍찍, 나는 숲 속의 날쌘돌이!
아무 것도 두려울 것이 없다네."
이렇게 노래부르며 이리 **폴짝** 저리 **폴짝**,
한참 동안 장난을 쳤지요.
그러다가 그만 사자의 등을 밟고 말았어요.
쿨쿨 잠을 자고 있던 사자는
벌떡 깨어나서 화를 냈어요.

"이놈, 감히 내 등을 밟다니!"
생쥐는 사자에게 빌고 또 빌었어요.
"사자님, 제발 살려 주세요.
제가 나중에 사자님을 도와 드릴게요."
"뭐라고? 너처럼 조그만 녀석이 나를 도와 주겠다고?
하하하."
사자는 코웃음을 치며 생쥐를 놓아 주었어요.

며칠 후에 사자가 그물에 걸리고 말았어요.
"어흐흥! 사자 살려! 사자 살려!"
그 소리를 듣고 생쥐가 달려왔어요.
"어 저번에 나를 살려 준 사자님이다.
이번엔 내가 도와 줄 차례군."
생쥐는 이빨로 그물을 톡톡 끊어서
사자를 빠져나오게 해 주었어요.

"고맙다, 생쥐야.
네가 나를 구해 주었구나.
평생 그 은혜는 잊지 않겠네."
사자는 왜소하지만 자기를 구해 준
생쥐와 친구가 되었답니다.

서울쥐와 시골쥐

그림 김은주

어느 날 서울쥐가 시골쥐를 찾아왔어요.
"여보게, 이런 시골에서 살면 뭐가 좋은가?
나랑 같이 서울에서 사는 게 어때?
서울에는 아주 멋진 물건들도 많고,
맛있는 음식들도 아주 아주 많다네."
그 말을 듣고 시골쥐는 귀가 솔깃해졌어요.

"그럼, 나도 한번
서울에 가 볼까?"

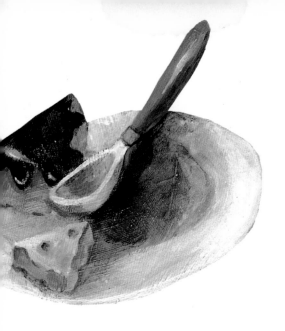

시골쥐는 **삐죽삐죽** 서 있는
건물과 자동차를 보고
깜짝 놀랐어요.
"바로 저쪽에 우리 집이 있어."
서울쥐는 어깨가
으쓱했지요.
서울쥐네 집으로 간 시골쥐는
난생 처음 보는
음식들을 배불리 먹었어요.
"이야, 여기는 정말 정말
 살기 좋구나!"
시골쥐는 신이
났지요.

그 때 갑자기 집주인이
나타났어요.
"쥐를 잡아라! 쥐를 잡아!"
집주인은 고래고래 소리를 지르며
시골쥐와 서울쥐를
쫓아왔어요.
게다가 고양이는
훨씬 더 무서웠어요.
"야옹! 야옹!"
날카로운 발톱과 이빨로
당장이라도
잡아먹을 듯 달려들었지요.
"아이고, 시골쥐 살려!"

"휴, 안 되겠어. 나는 그냥
내가 살던 시골이 더 좋은걸!"
시골쥐는 서울쥐와 작별 인사를 하고,
편안하고 조용한 시골로
돌아갔답니다.

'엄마, 또 읽어 주세요'는 아이들이 책 읽는 것을
좋아하게 만드는 책입니다,